D1132030

Retrouve Adèle sur www.mortelleadele.com

Idée originale et scénario : Mr Tan
Dessins : Diane Le Feyer
Couleurs : Clémence Sapin
Direction d'ouvrage : Aymeric Jeanson
d'après les illustrations et l'univers graphique de Miss Prickly
Créateur de l'univers original de Mortelle Adèle : Antoine Dole

Conforme à la loi n° 49.956 du 16 juillet 1949
sur les publications destinées à la jeunesse.
Dépôt légal : octobre 2017
8e tirage : 01.21
ISBN : 979-1-02760-360-2
Imprimé en France par Pollina en janvier 2021 - 96489

mortelle ADÈLE

Mr Tan
Diane Le Feyer

Big Bisous Baveux

bayard jeunesse

AJAX

Quand mes parents m'ont offert Ajax, je pensais que c'était un bébé lion. Depuis que j'ai découvert que ce n'est qu'un simple chaton, je suis bien décidée à faire ce qu'il faut pour m'en débarrasser !

GEOFFROY

S'il y avait un roi des andouilles, ce serait sûrement Geoffroy. Toujours à me courir après en voulant me tenir la main et porter mon cartable. Il dit qu'il est amoureux de moi et qu'il veut me donner son cœur. Je ne suis pas contre, mais dès que je sors mon bistouri, il s'enfuit en courant !

MAMIE

Mamie, c'est une sorcière. Une vraie, je veux dire. Elle croit que je ne le sais pas... mais j'ai entendu Papa dire à Maman une fois : «Mais quelle sorcière, ta mère!» Depuis, je mène l'enquête...

MAGNUS

Magnus est mon super ami imaginaire, d'ailleurs il m'a promis que si un jour je meurs, il me prendra comme amie imaginaire à mon tour, pour qu'on soit toujours ensemble. Il n'a peur de rien, à part des DVD que m'offre ma grand-mère...

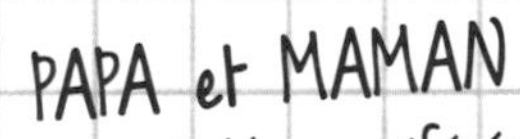

PAPA et MAMAN

Leurs hobbies préférés ? Me faire ranger ma chambre, me faire manger des légumes, me faire faire mes devoirs, me dire d'aller au lit... De véritables tortionnaires ! Moi, mon jeu préféré, c'est de les faire tourner en bourrique.
Je suis sûre qu'ils s'ennuieraient sans moi !

JADE et MIRANDA

Si un navet et une courge prenaient forme humaine,
ils ressembleraient sûrement à Jade et Miranda.
Ces deux pestes sont dans mon école et passent
leur temps à se prendre pour des top models!
Elles ont fondé le club des Barbie Malibu
et ne font que parler de mode et de chanteurs
à mèche. Au secoooours!!!

FIZZ

Vous avez déjà vu un bébé grizzli aussi petit? Je n'ai vraiment
pas de chance... Je suis certaine que Fizz atteindra deux mètres
de haut d'ici quelques années. Et alors là, tous ceux qui me
répètent que ce n'est qu'un hamster feront moins les malins.
Le problème de Fizz, c'est qu'il est hyperactif, impossible
de le faire tenir en place plus d'une seconde.

MON ONCLE (et SON AMOUREUX!)

J'ai l'oncle le plus cool de la Terre! Il aime les jeux vidéo,
le fast-food et les figurines de super-héros. Et comme Jérôme,
son amoureux, est un peu comme lui, j'ai doublement
de la chance : deux super Tontons pour le prix d'un!

JENNYFER

Vous pensiez que j'étais un peu fofolle, mais il y a pire que moi :
Jennyfer! Elle est persuadée qu'on est les meilleures amies
de l'univers et ne me lâche plus d'une semelle...
Non mais, elle croit aux miracles celle-là ou quoi ?!

Masterchef

Mais... C'est toi qui cuisines ?
Oui, Maman trouve que je ne mange pas assez de légumes. Alors je crée ma propre recette !

Hein ?... Qu'est-ce qu'Ajax fait là ?!
Oh, lui ? C'est dans ma recette...

... la chatatouille !
C'est ce qui s'appelle joindre l'utile à l'agréable !
Chatatouille
x2
x4
x4
x1
x1
x1
x2

Miroir, mon beau miroir...

Miroir, miroir, dis-moi qui est la plus belle...
Prince

Euh... t'es sérieuse, avec la tête que t'as ? On dirait les fesses d'un gorille...
Commence par apprendre à t'habiller !

Mamaaaan !
Hi hi hi...
Prince

Faut vraiment qu'ils apprennent à fermer la porte de chez eux...
Prince

On était à deux doigts !

Tu sais à quoi on reconnaît deux meilleures amies ?
Épate-moi...

On pense toutes les deux à la même chose au même moment !
Ah bon ?

Toi aussi, tu aimerais que je te fasse monter sur ma catapulte et que je te projette à 600 km/h vers l'espace pour que tu te désintègres dans d'atroces souffrances ?
Euh...

Bon, sinon on peut aussi aller manger une glace !
J'étais à deux doigts d'adhérer au concept d'amitié...

Réveil difficile...

Aux petits soins

Tu fais quoi ?
Un gommage de la peau, pour être toute belle... Ça marche bien, hein ?

Pas vraiment efficace, ton gommage...
On te voit toujours !

C’est pas ma faute !

Scoop

Tu sais, Jennyfer, je crois que parfois la vie nous fait des cadeaux...
Et tu es l'un d'eux.
Oh, merci !!!
Attends, t'emballe pas...
Je voulais juste savoir si tu avais gardé le ticket de caisse pour faire un échange !

Expérience interdite n° 223849

Bonjour à tous, et bienvenue dans mon émission YouTube «Les expériences interdites» !
You Tube

Cette semaine, nous allons vérifier l'affirmation suivante : la vérité sort-elle vraiment de la bouche des enfants ?
You Tube

Pour cette expérience, mon sujet sera Geoffroy... Dis bonjour, Geoffroy !
Bonjour à tous! Et bonjour à ma maman si elle regarde l'émission !
You Tube

Bon. Geoffroy, tu vas manger ceci...
Oh, super ! Un goûter ! C'est quoi ?
You Tube

De la purée de vers de terre.
CLIC
You Tube

BLEUUUUAAAAARRRG
You Tube

Alors... Voyons voir...
You Tube

Chers auditeurs, je suis formelle ! Il sort plein de choses de la bouche des enfants : des restes du déjeuner, des trucs gluants, mais pas de vérité !
You Tube

Une aide bienvenue

Goûter entre amies

Quand on y pense...

Poil au mixeur

Merci Mamie !

Dis, Mamie, tu peux m'aider pour mes devoirs ?
Cahier de devoir
Adèle
Bien sûr ! Dis-moi ce que je peux faire.
Raconte-moi comment c'était quand tu avais mon âge.
Oh, il y a tellement à raconter !
Adèle, j'espère que tu n'embêtes pas ta grand-mère...
Pas du tout ! Elle m'aide pour mon exposé sur la préhistoire !

Fizz le grizzli

Flash info spécial

J'dis ça, c'est pour aider...

Généreuse ET astucieuse

Un super porte-bonheur

Les combles de l'horreur

KARLOFF
MUMM

Ta mère ne t'avait pas confisqué ce livre ?
Et alors ? Tu vas me dénoncer?

Ah non, rien de tel qu'une histoire d'horreur pour faire de beaux rêves...
Mouais, ça fait même pas peur.

C'est nul, le monstre est trop bête...
Hum... N'est pas monstrueux qui veut !

Bon, il faut que je trouve un autre livre.
Quelque chose d'effrayant, d'horrible...
Un récit sans espoir, tragique et sordide !
Oui. Une histoire qui fait vraiment peur, quoi !
Mais où tu vas ?
Au grenier, il y a le livre le plus flippant du monde...
... le journal intime de Maman quand elle était ado !
« Cher Journal, je suis amoureuse de Timothée mais il ne me voit pas. Comment faire ? Qui suis-je ? Où vais-je ? »
Brrr... Si je pouvais, j'en aurais la chair de poule !

Discussion entre «amies»

Tu sais, Jennyfer, je comprends pas pourquoi tu tiens tant à ce qu'on soit amies...

C'est vrai, quoi : on est très différentes, en plus...

Et puis bon... Se voir sans arrêt, j'en ai pas très envie, je t'avoue...

Aaah ! En tout cas, cette discussion m'a libérée d'un poids !

Athlète du quotidien !

Et ça, c'est cadeau !

Madame Irma

Laisse-moi essayer !
Si tu veux. Mais tu verras, c'est pas facile...

Je vois...
Je vois une catastrophe qui se profile dans ton futur proche !

Du genre ?

Ah, non, ça c'est juste ton reflet dans la boule...
Mais ça revient au même, tu as raison.

Invitation spéciale

Salut ! Tu veux venir chez moi ? Y a personne !
Oh oui, trop cool ! J'arrive !!!
Adèle
BFF

Vite vite, on va passer un super après-midi entre copines !!
DING DONG

Heureusement que j'ai le numéro de sa mère...
Allô ? Adèle ? Je suis devant chez toi, mais y a personne...
Bah oui, je te l'avais dit !
VRRRRRRRRRR

Mauvaise question...

Quelle imagination !

Au pied de la lettre

Le troisième œil

Un super programme

N'exagérons rien

Amitié glacée

Contrôle parental

Qu'est-ce qui se passe, ici ?
Maman veut que je révise mes leçons.

Quelle horreur !
Elle dit que je n'avais qu'à avoir un meilleur bulletin !

Non, mais on rêve !
Ouais, les parents feraient moins les malins s'ils étaient notés, eux aussi !

Déjà, ils auraient 2 sur 20 en bêtises...
... Et même pas la moyenne en rigolade !

Il est temps qu'on reprenne les choses en mains.
Oui, il faut agir !

Y a pas de raison que je sois la seule à faire des devoirs !
J'ai prévu deux, trois exercices pour vous aussi !
?

Si ça peut la motiver à faire ses devoirs...
KIT EXPÉRIENCE

« Disséquer un cerveau humain » ?
« Greffer des tentacules » ?
Rassure-moi, tu as des nouvelles récentes de notre dernière babysitter?

La goutte de trop

Une looongue vie devant soi

Malentendu

Adèle, j'ai dit qu'on allait faire du sport d'équipe, pas du sport épique !
Ah...

Ça, c'est de l'amour

Le poids du choix

Tu te décides ?
Attends, je sais pas lesquels choisir.

Mais c'est la même chose !
Non non, ceux-là sont différents.

Pfff... Tu fais la difficile, quand même !
Moi ?! Tu rigoles ?!

La preuve : j'ai accepté les premiers parents sur lesquels je suis tombée !

Conseil d'Adèle

À table !

Tenez les filles,
j'ai préparé
votre goûter !
Super,
des cookies !

Ma maman dit toujours
que si la vie était un cookie,
les amis en seraient
les pépites de chocolat.

CRUNCH
CRUNCH

Tu... tu veux
mon cookie ?
Là où il y a
des pépites
de chocolat,
y a plus d'amis
qui tiennent...

C'est pô juste...

Tu as l'air contrariée, ma chérie...
La maîtresse m'a grondée pour un truc que je n'ai pas fait.

Oh... Mais il fallait lui dire !
Mais je lui ai dit que je n'avais rien fait. Et elle m'a donné une punition, du coup !

J'irai lui parler demain, alors. Ce n'est pas normal !
Et c'est quoi, cette chose que tu n'as pas faite ?

Bah... mes devoirs !

Un bol d'air pur

Prêt ? Feu, GO !

Adèle, où est Ajax ?
Il est dans ma nouvelle cabine de téléportation.

Mais, Adèle, c'est le micro-ondes, ça !
Pousse-toi, le départ est imminent !

10 minutes là-dedans à pleine puissance, et je t'assure qu'il va se téléporter...
Ah oui ? Et où ça ?

Au paradis des chats, bien sûr !
Hop, direct !

Vous avez un message

Mais qu'est-ce que...
ADÈÈÈÈÈLE !

Qu'est-ce qui s'est passé avec l'ordinateur ? Il est tout démonté !
Bah, figure-toi que j'ai reçu un mail de Tonton. Et c'était écrit qu'il y avait une pièce jointe...

Eh bah je l'ai pas trouvée.

Fashion victime

Cheese !

Tu vas continuer encore longtemps ?
Je veux garder un souvenir de chaque seconde passée avec toi !
Tu l'as frappée un peu fort, non ?
Bah c'est elle qui veut un souvenir qui dure longtemps.
Regarde ce super bleu en train d'apparaître !

Ah, mais fallait le dire plus tôt !

Soda addict

Adèle, c'est quoi toutes ces bouteilles vides ?
C'est pas moi, c'est Fizz !
Je crois qu'il a un problème avec les sodas...
?
GLOU GLOU
Je me demande bien de qui il tient ça...
BURP
GROUPE DE SOUTIEN DES ACCROS DU SODA
Tout ça, c'est de ta faute.
Vive l'EAU !

Par amour de la science...

Pot de colle

Tiens, Adèle ! Je t'ai fait un cadeau !
Pourquoi ?
Pour fêter notre amitié !
Il n'y a rien à fêter. On n'est pas amies.
Tu me fais trooop rire !
C'est pour ça que tu es ma meilleure amie !
Tu aimes ton cadeau ?
Quelle horreur...
Karma : Croyance qui veut que nos actions passées provoquent des conséquences dans notre vie présente.
Bah voilà, ne cherche plus.
DICO
Jennyfer est ma punition pour toutes les bêtises que j'ai faites !

L'heure de vérité

Le jeu en vaut la chandelle

Bruit de couloir

Bah quoi ? C'est toi qui m'as demandé de passer le balai tout à l'heure !
Mais enfin, quand vas-tu arrêter de t'en prendre à ce pauvre chat ?

Regarde comme il est adorable !
Tout ce qu'il veut c'est t'aimer et être ton ami !

Tu as raison Maman, c'est le moment d'enterrer la hache de guerre.
Ah, je suis fière de toi !

Je peux me tromper, mais tu étais censée enterrer la hache, pas Ajax.
Chut, ce sera notre secret.
Miaou

Si tu le dis...

Ma maman dit toujours que l'amitié, c'est comme un feu de cheminée : ça s'entretient à chaque instant !
Je savais qu'elle finirait par trouver les mots pour toucher ce petit cœur de pierre...

Recyclage extrême

Sous les projecteurs
Aujourd'hui je vais vous présenter mon exposé sur... Adèle !
Tiens... c'est original !
EXPOSÉ =
JENNYF
ADÈLE
ADÈLE
SA VIE
SON OEUVRE
I ♥ Adèle
Adèle est née le...
Tu es une star !
Non, mais quelle plaie...
D'ailleurs, personne n'a jamais su que c'était elle qui avait mis des feux d'artifice dans le casier de Jade.
Ou que c'est à elle qu'appartenait l'élevage de mygales dans le tiroir de la maîtresse !
ADÈLE
?
?
?
I ♥ Adèle
Euh...
Voilà ce qui arrive quand on devient célèbre, on n'a plus d'intimité !

Cool, maman...

Bonjour, ma chérie !
Tu veux un jus d'oranges pressées ?
Plutôt des oranges qui prennent leur temps... On est dimanche, Maman !

Amies pour la vie

C'est quoi, ce truc qui dépasse de ton cartable ?
?

Non, mais je rêve...
Jennyfer a organisé une grande fête de l'amitié.
FÊTE DE L'AMITIÉ !

Regarde ! Toute la classe y sera !
Mhmm, c'est peut-être pas si mal...

Oui allô ? Je voudrais louer un bulldozer pour 16 h cet après-midi...
Dites, vous confirme que c'est suffisant pour écrabouiller une maison et tous ses occupants, hein

Politesse culinaire

Une délicate attention

Aouuuuuuuuuh !

Apparences trompeuses

C'est écrit dessus !

Mais pourquoi tant d'amouuur ?

Le dur métier de parents

Tuto beauté

Non, mais qu'est-ce qui m'a pris d'accepter de les aider ?!
Pour quoi faire ?
Jade et Miranda veulent faire une vidéo sur internet sur la manière de se faire belle en moins de dix minutes...
Oh, bah ça devrait aller vite, alors !
Tu rigoles ?! Ça fait déjà une heure !
Mhm...
Bon, vous avez trouvé le nom de votre vidéo ?
Oui !
« Comment se faire jolie en moins de dix minutes quand on a une heure devant soi ! »

Chadeau de Noël

Que fais-tu, ma puce ?
Je prépare un calendrier de l'avent pour Ajax !
Oh, c'est adorable ! Tu as mis quoi ? Des croquettes ? Des friandises ?
Non, viens voir...
Ça va être sa fête tous les jours !!!

Instant mère-fille
Ça, c'est quand on est rentrés de la maternité. Tu étais tout bébé... On était tellement heureux de t'avoir avec nous !
Bah, dis donc, en voyant ces photos, je me dis que j'ai vraiment beaucoup de chance de...
Oh, ma chérie ! Tu es heureuse de nous avoir comme parents, c'est ça ?
Mollo ! Je voulais juste dire que j'ai beaucoup de chance de ressembler davantage à Papa... Tu as vu ta tête, sur ces photos ?
Te voilà !
maman est fatiguée !

Langages divers

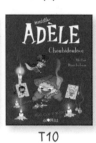

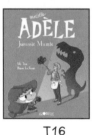

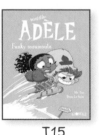

T1

T2

T3

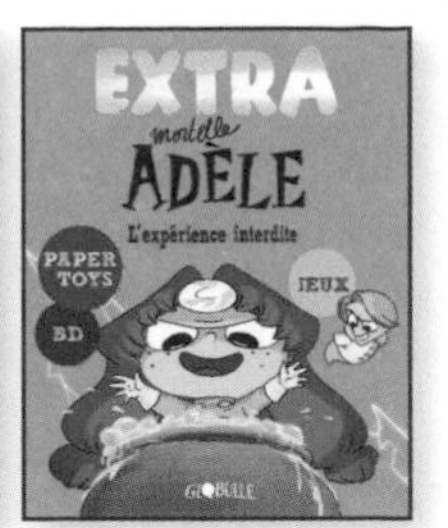

T4

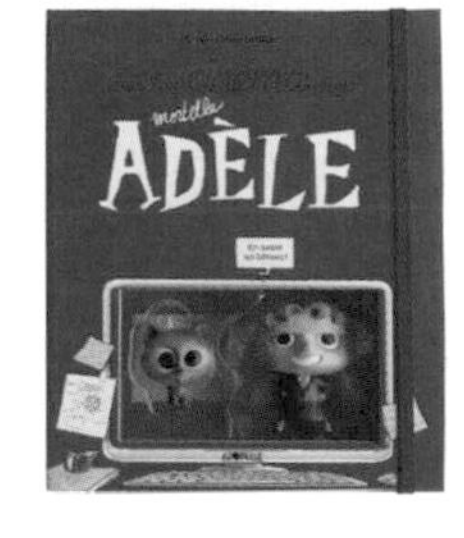

Adèle est aussi dans
des livres-jeux,
des coffrets et
des jeux de société !

Nouveau !
Tous les 3 mois chez
ton marchand de journaux.

I ♥ ADÈLE